KB083832

가훈은 성실

선제

나의 사랑하는 가족에게

차례

엄마의 바다

아버지는 말한다

가훈은 성실

삼남매

엄마의 바다

•

엄마의 바다
내게 엄마는 바다
존경합니다
사랑합니다

엄마의 바다

1975년, 양여사는 빨래 박사와 결혼을 한다. 그로부터 20년이 지난 1995년, 양여사는 꿈에 그리던 전원주택으로 이사를 하게 된다. 1993년, 빨래 박사는 양여사를 위해 당시 인기리에 방영되었던 드라마 '엄마의 바다'를 모티프로 마당이 딸린 2층 집을 짓기로 결심한다. 그 시대에 찾기 힘든 로맨티스트 였다.(실제로 빨래 박사는 대부분의 집안일을 도맡아 했고 2023년 현재도 양여사는 세탁기 작동법을 모른다.) 빨래 박사는 당시 양여사를 위해 직접 집을 설계하고 전문가들을 섭외해 집을 짓기 시작한다. 당시 초등학교 3학년이었던 나는 빨래 박사를 따라 공사현장에 가는 걸 좋아했다. 머릿속은 온통 내 방이 생긴다는 흥분으로 가득했다. 공사는 순항을 이어갔고 막바지에 임금 지불 문제로 약간의 문제가 발생했지만,

다행히 집은 큰 문제없이 완공되었다.

처음 입주 했을 때 가족 모두는 놀랐다. 당시 동네에서는 찾기 힘든 느낌의 집이었다. 동네 사람들은 모델 하우스라며 몇날 며칠을 찾아와 구경했다. '이런 집에서 우리가 살아도 될까?'라는 생각을 했다. 첫날은 모두들 잠도 못잤다. 학교에 가면 친구들의 부러움을 샀다. 말그대로 저택이었다. 그만큼 양여사의 취향과 빨래 박사의 수고가 깃들어 있는 집이었다.

양여사는 세상을 다 얻은 기분이었다. 2층 테라스에 장미를 심고 차를 마시는 상상을 했다. 상상은 바쁜 현실 탓에 실현되지는 못했다. 하지만 대문과 담벼락에는 키위나무 덩쿨을 키웠고 마당에는 사과나무와 천리향을 심었다. 수석과 소나무로 정원을 조경했다. 바쁜 와중에도 품을 들여 부지런히 가꿨다. 곧 안집은 문화마을에서 제일 멋진 정원을 가진 집이 되었다.(당시 우리는 집을 안집, 양여사가 운영하는 민속주점을 가게라고 불렀다. 그리고 우리가 이사한 동네 이름은 문화마을이었다.)

양여사의 하루는 고단했다. 매일 새벽 5시에 일어나 1시간 유산소 운동을 하고 7시에 가게에 나가 오픈 준비를 했다. 장사를 마치고 마감을 하면 밤 11시다. 연중무휴, 두 달에 한 번 화개장터에 장을 보러 가는 것을 제외하면 휴가 한 번 없었다. 하루종일 서서 음식을 하고 테이블을 치운다. 하루 3번 가족들의 끼니를 챙기고 늦은 저녁까지 이어지는 손님들을 상대했다. 그렇게 고단한 일과를 마치고 집으로 돌아왔다. 집에 도착하면 마당에서부터 피로가 풀렸다. 현관문을 열고 들어와 안방의 주황색 무드등을 켜면 마음은 한없이 포근해졌다. 엄마의 바다. 안집은 엄마의 바다였다. 안집에서 자고 일어나면 매일 새몸이라는 양여사의 말이 기억에 남는다. 지금도 그때를 회상하면 힘든지 몰랐다는 양여사. 벌어서 쓰는 돈을 무시할 수 없다는 그녀. 그 집에서 삼남매는 건강하게 자라 지금은 각자의 삶을 잘 살아내고 있다. 그렇게 모두가 떠나고 집은 부부가 살기에 너무 커져버렸다. 몸은 하루가 다르게 쇠약해졌고 주택의 관리는 점점 더 어려워졌다. 2020년, 양여사는 25년 동안 안식처가 된 안집을 정리하고 시내에 있는 아파트로 이사했다. 그녀는 아직도 안집에서 살때가 좋았다며 자주 안집을 추억한다. 그녀의 손때가 묻은 안집이 나도 그립다. 엄마의 바다. 내게 엄마는 바다. 존경합니다. 사랑합니다.

굿모닝

5년 째, 나는 매일 아침 카톡 메시지를 받는다. 메시지는 7시에서 7시 30분 사이에 도착한다. 늦더라도 8시 이전에는 꼭 도착한다. 응원의 내용이 담긴 사진 한 장이 먼저 도착하고, 뒤이어 문자가 찍힌다. '사랑하는 아들 굿모닝? ^^' 아니면 '사랑하는 아들 잘잤니? ^^' 이다. 이 글을 쓰려고 카톡창을 위쪽으로 넘기다가 새롭게 알게 된 사실은, 5년 째 '굿모닝'과 '잘잤니' 를 한번도 연속해서 보낸 적이 없다는 사실이다. 섬세한 양여사, 나의 어머니. 오늘은 '사랑하는 아들 굿모닝? ^^' 차례다.

5년 전 타지로 떠난 아들이 걱정되어 매일 아침 안부를 물어온다. 나의 대답은 항상 '굿모닝 :)' 이다. 그날의 아침이 어떻든 '좋은 아침'이라고 답한다. 좀 더 살갑게 답하면 좋으련만,

5년 째 그러질 못하고 있다. 직접 만나면 애교도 부리고 막내 역할을 다하지만 문자로는 아직 낯을 가리는 아들을 부디 용서하시길.

일주일에 한두번 양여사와 통화를 한다. 주로 주말 저녁 연속극이 시작하기 전 즈음 전화가 온다. '요즘도 많이 바쁘니?' 라고 묻는다. 집에 언제 오냐는 말로 이해한다. 내 대답은 늘 '바쁘다.' 이다. 덜 바쁠 때도 더 바쁠 때도 그냥 바쁘다라고 답한다. 본가에 가지 못해서 서운하지 않았으면 해서, 일이 너무 많아 몸 상할까봐 걱정하지 않았으면 해서. 적당히 둘러대는 아들의 실체는 눈치 빠른 양여사에게 이미 간파당했겠지.

성인이 되고 나서 부모님과 함께 지낸 기간이 그리 길지 않다. 2~3년 정도 함께 지내다가 다시 독립한지 5년째, 나는 생각보다 혼자서 너무 잘 지낸다. 그건 아마 매일 사랑으로 아침을 열어주는 양여사 덕이 아닐까? 물론 내가 잘 살아내는 부분도 있겠지만. 그래도 오늘은 굿모닝 말고 좀 더 살갑게 답장을 해야지. 이번 주말에는 먼저 전화를 걸어 조만간 찾아뵙겠다고 말해야지. 사랑합니다 양여사, 나의 어머니. 이제 내 차례다.

제사

제사를 안 지낸 지 3년 차다. 아버지는 무신론자다. 형체가 없는 영혼을 더 이상 모시지 않는다. 예전에는 유교 사상을 나름 존중했지만, 나이가 들면서 의미가 없어졌다. 유교의 풍습에 더 이상 미련은 없다. 무엇을 선택할지는 마음먹기에 달렸다. 깊이 고민해 보니 죽으면 자연으로 돌아간다는 결론에 다다랐다. 사람이 태어날 때는 신이 점지했을지도 모르겠지만 죽으면 모두 자연으로 돌아간다. 조상을 섬기는 건 정서적 안정감을 주지만 생을 이어갈수록 그 의미는 점점 퇴색되어 간다. 예전에는 생장을 안 하면 불효라고 했지만 지금은 불법이 되었다.

양여사는 조상에게 배신 당했다. 지난 50년간 상다리가 부서져라 제사상을 올렸지만 지금 양여사의 다리는 부서졌다. 그리고 양여사의 숙원사업인 막내아들의 결혼은 감감무소식이다. 상처 입은 양여사에게 남은 건 원망이었다. 물 떠놓고 빌어도 어떤 의미를 찾지 못했다. 그런 양여사에게 50년 동안 지낸 제사는 지긋지긋하다. 지낼 만큼 지냈다고 판단한 순간, 그만뒀다. 조상에게는 죄송하지만 지금 양여사의 기분은 날아갈 것 같다. 이제 더 이상 상다리를 내릴 사람도 상차림을 올릴 사람도 없다.

제사가 사라진 연휴에는 영화를 보러 가거나 근처 카페에 간다. 가까운 곳을 여행하기도 한다. 양여사는 말한다. ‘이런 세상도 있구나.’ 시집와서 일년에 여러 번, 매년 제사를 지냈다. 그런 제사가 끝났다. 이제야 비로소 양여사의 차례다.

흔한 그리고 귀한

친구를 기다리기 위해 들른 서점에서 '우연히' 읽게 된 책, 나는 깨달음의 조각을 발견한다. 통찰의 대상은 널려있고 매번 나를 애타게 기다리고 있는데 가난한 나의 시선은 그것들을 '우연히'로 둔갑시킨다. 마치 주말과 같은. 흔한, 하지만 귀한.

어제 아침 양여사가 보내온 카톡 속 문장. '지나간 시간보다 다가올 날들이 더 행복하면 좋겠습니다.' 나에게 뻗어있는 수많은 관심의 손, 얻어 걸렸다고 하기에는 너무 과분한 사랑. 귀한, 너무도 귀한.

화기엄금

화촉점화

오랜만에 가족들이 모였다. 나와 작은누나의 음력 생일을 축하하기 위해서다. 해마다 이맘때쯤 생일이 6일 차이 나는 누나와 나는 함께 가족들의 축하를 받는다. (양여사, 큰누나, 작은매형의 생일과 함께 가장 큰 가족행사 중 하나다. 세 사람은 심지어 음력 10월 16일 같은 날 태어났다.) 올해는 큰누나도 한국에 있어서 조금 더 북적북적한 하루를 보냈다. 맛있는 음식을 나눠먹고 이야기를 나눈다. 최근 우리 가족의 관심사는 건강이다. 조카 준혁이와 준영이를 제외하면 전부 환자다. 멀쩡하던 작은누나, 작은매형도 환자가 되었다. 10년 만에 다시 일을 시작한 작은누나는 목 디스크가 왔다. 작은매형은 테니스를 치다가 엘보우가 왔다. 창식씨는 이번 주 허리 수술을 앞두고 있고 양여사는 무릎 수술을 끝내고 두 달 만에 퇴원을 했다.

집으로 돌아온 양여사는 기분이 날아갈 것 같다고 말한다. 그리고 수술을 무사히 잘 마치고 건강하게 회복하면 결혼하기로 약속한 막내아들에게 다시금 그때의 약속을 상기시킨다. 아들은 '지금처럼 재활을 열심히 해서 식장에서 화촉점화가 가능하게 되면 언제라도 결혼을 하겠다.'고 말한다. 그렇게 양여사는 아들의 말을 철석같이 믿고 언제 올지도 모를 아들의 결혼식 화촉점화를 위해 아픈 무릎을 부여잡고 오늘도 집안을 부지런히 걸으며 재활에 열을 올리고 있다. 무릎 재활이 끝나면 발등 재활을 시작해야 될지는 꿈에도 모른 채로.

엄마는 1

저녁식사를 끝내고 이어진 술자리에서 각자가 그려온 엄마의 이미지를 '엄마는'으로 시작하는 문장으로 완성한다. 처음으로 나온 문장은 '엄마는 무섭다.'였다. 어릴 적부터 지금까지 '엄마랑 싸운다.'라는 주어와 서술어는 호응할 수 없다고 말한다. 엄마는 그만큼 압도적이고 무서운 존재라고 고백한다. 다음으로 나온 문장은 '엄마는 연약하다.'였다. 엄마가 내게 의지하고 내 삶 깊숙이 관여하는 상황이 부담스럽다고 말한다. 엄마의 연약함을 원망한다고 고백한다. 다음으로 나온 문장은 '엄마는 반면교사다.'였다. 닮기 싫은 엄마의 모습이 어느새 내 안에 자리 잡았다고 말한다. 어릴 적부터 자식에게 엄격했던 그녀의 모습이 지금 아이들을 대하는 자신의 모습에서 나타난다고 고백한다. 이야기를 끝내고 난 뒤 찾아온 미시감, 엄마라는 단어가 굉장히 낯설게 다가온다.

엄마는 2

어제 나누었던 '엄마는'으로 시작하는 문장을 오늘도 이어서 완성해 본다. 가장 인상적인 문장은 '엄마는 엄마다.'라는 문장이다. 어렸을 때는 엄마가 무서웠는데 지금은 친구 같다고. 그때의 그 공포가 어디 갔는지 찾기 힘들어졌다고. 엄마는 자식을 자기 손아귀에 쥐고 싶다는 욕구나 집착이 없다고. '무소식이 희소식이다.'라는 속담처럼 멀리 떨어져 지내는 딸에게 부담을 주지 않는다고. 그러한 면이 오히려 딸의 입장에서는 엄마에게 더 머물고 싶은 욕구를 불러일으킨다고. 벗어나고 싶은 존재가 아니라 찾아가고 싶도록 만드는 일종의 밀당이 적절하다고 말한다. 그리고 딸과 함께 다니는 것보다 아빠와 함께 하는 시간을 더 원한다고. 그래서 엄마는 그냥 엄마라고 말한다.

이야기를 다 듣고 나는 '엄마의 수만큼 다양한 엄마가 존재한다.'라고 다시 메모한다.

빨간고기

나의 소울푸드는 빨간 고기다. 어릴 적부터 양여사가 '아들, 뭐 먹고 싶어?'라고 물으면 내 대답은 언제나 '빨간 고기'였다. 빨간 고기가 도대체 뭐냐고? 빨간 고기는 삼겹살이나 목살을 고추장 양념에 재웠다가 대파와 양파 등과 함께 굽는 음식을 말한다. 초등학교 때부터 나의 최애였으니 족히 이십 년 이상 즐겨온 나에게는 역사와 전통이 있는 음식이다.

세월은 금세 흘렀고 양여사의 나이는 일흔이 넘었다. 하지만 빨간 고기의 맛은 지금도 변함이 없다. 아마 매일 30km 이상 자전거를 타기 때문이 아닐까 추측한다. 양여사 집에 들르면 다른 음식은 먹으면 좋고 안 먹어도 그만인데, 빨간 고기를 해준다는 제안은 거절하기 힘들다. 심지어 가끔은 요리를 전혀 하지 않는 내가 집으로 돌아오는 길에 빨간 고기를 재워둔 밀

폐용기를 받아오기도 한다. 그만큼 애정하는 음식이다. 나의 소울푸드가 언제 다른 음식으로 대체될지는 모르겠다. 다만 요즘 문득 좀 더 자주 빨간 고기를 먹으러 가야겠다고 다짐한다. '앞으로 내게 허락된 빨간 고기는 얼마나 남았을까?' 따위의 생각은 집어치우고 하루빨리 빨간 고기로 돼지 파티를 하고 싶은 마음뿐이다. 내일은 양여사에게 주문 전화 한 통 넣어봐야겠다.

아버지는 말한다

•

아버지는 말한다
적당히 벌고 즐기면서 살아라

아버지는 말한다

　　　　아버지는 말한다. 적당히 벌고 즐기면서 살아라. 많이 벌어봐야 소용없다. 네 앞에 주어진 행복의 순간을 하나라도 더 인지하면서 살아라. 장사해서 돈 벌어봐도 소용없다. 서부 스타일로 즐기면서 살아라. 그게 사실이다.

아버지는 말한다. 하루에 커피 두 잔은 기본값이다. 유머를 잃지 않아야 한다. 편안한 분위기를 만드는 사람이 되어야 한다. 잔을 높이 들고 청바지를 외친다. 원하는 새벽 시간을 보내고 낮에는 소파에 기대 15분 정도 낮잠을 자도 괜찮다. 자고 일어나면 새로운 하루가 시작된다. 몸이 개운하다면 그게 베스트다. 잠이 덜 깨서 침대로 옮겨 두 시간 더 내리 잔다고 해도 굿이다. 멀쩡하게 보이려고 나다움을 포기하지 마라. 허풍을 떨어도 그것을 지키면 사실이 된다. 그게 사실이다.

어머니는 말한다. 빌어먹을. 느그 아빠는 희한한 사람이다.

아버지에게

'아버지'에게

아버지, 68번째 생신을 진심으로 축하드립니다. 생일을 맞아서 좋은 것들을 많이 챙겨드리고 싶지만, 가난한 군인 신분으로 딱히 챙겨드릴게 없어서 편지를 써요. 어릴 때 이후로는 편지를 처음 쓰는 것 같아서 조금 어색하네요. '아버지'라는 말도 잘 안 써서 조금 더 신경이 쓰이네요.

아버지 생일이라 나이를 떠올려 세어보니, 어느덧 68세라서 새삼 놀랐네요. 하긴 어리광만 부리던 아들의 나이도 벌써 서른이니 그리 놀랄 일이 아닐 수도 있겠네요. 대학을 갈 때에도 한 번에 가지 못했고, 졸업 후 임용고시도 한 번에 합격하지 못했지만, 그때마다 걱정과 질타보다는, 저를 믿어주시고 기다려 주셔서 정말로 고마웠어요. 남들이 보기에는 조금은 돌아서 가는 것처럼 보일지 몰라도, 지금 생각해 보면 제게 큰 밑거름이 된 시간들이었어요. 지금도 감사해요.

군대도 많이 늦은 나이인 28세에 왔지만 이전의 좋은 경험들이 있어서 보시다시피 즐기면서 생활하고 있어요. 남들은 군대 가면 머리가 굳고 몸도 힘들다고 하는데, 저는 책도 훨씬 많이 읽고, 운동도 열심히 하면서 오히려 몸과 마음을 단련하고 있어요. 어쩌면 지금 이 시기가 제 인생에 주어진 방학 같은 시간이라고 생각하고 즐기고 있어요. 20대 초반의 친구들과 함께 운동하고, 밴드 활동도 하면서 소통하는 시간들은 제게 더없이 소중한 추억이 되고 있어요. 어느덧 2년이라는 시간도 거의 다 지나갔네요. 시간이 참 빨리 흘러가는 것 같아요. 저도 이제 곧 집으로 가겠죠? 누나들이 시집가고 제가 군대에 와서 집이 많이 적적했을 것 같아요. 제가 나가서 북적북적하게, 따뜻하게 해드릴게요.

편지를 쓰려니 무슨 말을 해야 할지 몰라서 너무 제 얘기만 한 것 같네요. 아무튼 언제나 저를 믿어주시고 제가 하는 일들을 응원해 주셔서 고마워요. 항상 더 나은 제가 되기 위해서 노력하고 있으니 남은 인생도 오래오래 지켜봐 주세요. 저도 아버지, 어머니 노후가 많이 심심하지 않도록 열심히 노력하는 아들이 될게요. 마지막으로 결혼은… 마음은 먹으려고 노력하고 있으니 너무 조급해하지 마시고 지켜봐 줬으면 좋겠어요. 편지가 길어졌네요. 이만 줄일게요.

아버지의 생신을 다시 한번 진심으로 축하드립니다. 항상 건강하시고, 아버지의 삶이 즐거우셨으면 좋겠습니다. 사랑합니다.

아들 선제 올림

구원

아버지는 생명을 끌어당기는 사람이다. 우리는 당신을 애니멀 커뮤니케이터라 부른다. 반려견 코코와는 14년째 진한 우정을 과시하고 있다. 옆에서 지켜보면 뜨겁게 사랑하는 20대 커플을 방불케 한다. 매일 아침 일어나면 코코의 털을 빗겨주고 눈곱을 정리하고 향수를 뿌려준다. 당신은 그것을 '미용하다.'라고 표현한다. 매일 함께 산책하는 건 당연하다. 건강한 음식과 간식을 챙기는 건 일상이다. 코코의 표정이나 행동 하나하나에 의미를 부여하고 자주 밀당한다. 치킨의 닭가슴살은 항상 코코의 몫이다. 양여사는 말한다. 당신이 지옥불에 떨어져도 코코가 건져 줄 거라고.

아버지는 생명을 살리는 사람이다. 26년의 주택 생활 동안 마당에 안착해서 살다간 고양이는 대충 헤아려도 수십 마리다.

많은 에피소드 중 '공주'와 '장미' 이야기는 꽤 짠하다.

공주는 집 나간 지 4일 만에 뒷다리가 부러져 절름발이가 되어서 돌아왔다. 피골이 상접했다. 보다 못한 당신은 공주를 싣고 동물 병원으로 갔다. 대수술이었다. 입원하고 격리하고 장미는 힘겹게 한 달을 버텼다. 당신의 애씀 덕분인지 수술 부위는 잘 아물어 새털이 자라나기 시작했다. 공주가 회복한 지 얼마 지나지 않아 장미가 사라졌다. 촉새가 말없이 떠나고 노숙자 하우스 터줏대감 자리를 도맡아오던 장미가 보이지 않는다. 지난번 집을 나가서도 절뚝이면서 돌아왔는데 걱정이다. 당시 동물 병원에서 둔기에 맞은 것 같다고 해서 걱정을 더했다. 사람만 보면 좋아서 부비부비 하는 장미가 또 누군가에게 맞아서 집에 돌아오지 못할까 봐 걱정하신다. 당신은 또 밤잠을 설친다. "이래서 사람들이 길냥이한테 마음을 주면 안 된다고 하는갑다." 하신다. 퇴근하면 절뚝거리며 대문까지 마중 나오던 장미, 장미는 거지꼴을 하고 4일 만에 다시 집으로 돌아왔다. 완전히 말라비틀어진 모습으로, 새까맣게 더러워진 꼴로 돌아왔다. 고양이에게 별 관심이 없던 양여사는 장미를 욕실에 데려가 직접 씻겼다. 작은누나는 2등급 사료 대신 주 1회 통조림 서비스를 제공했다. 나는 멀리서 그걸 지켜봤다. 그럼에도 정이 들었다. 그렇게 우리는 가족이 되었다. 양여사는 말한다. 당신이 지옥불에 떨어져도 코코가 건져줄 거라고. 만약에 코코가 바빠서 깜빡해도 건져줄 고양이는 있다고.

구원만 바라는 이에게는 믿음이 없다. 그렇게 우리는 서로를 믿으며 스스로를 구원할 뿐이다.

박창식 씨 이야기

2010년부터 다닌 직장에서 처음으로 연가를 썼다. 아버지와 함께 병원을 가기 위해서다. 일주일 전 전화기 너머로 들린 창식씨의 음성은 한없이 가라앉아 있었다. 자신을 표현하는 단어가 무엇이냐는 질문에 한결같이 '잘 참는 사람'이라고 말하는 당신이 '아프다.'고 말한다. 10년 전 수술을 받은 병원에서는 이번에 수술을 해줄 수 없다고 말한다. 대학 병원으로 보낼 영상과 진료 기록을 챙겨줄 테니 그곳에 가서 다른 방식의 수술을 알아보라고 한다. 사유는 수술 위험 부담이 커서이다. 아버지는 가라앉은 음성으로 대학 병원의 예약을 잡았다.

병원으로 가는 차 안에서 나는 아버지에게 여러 가지 질문을 한다. 아프다는 이야기 보다 창식씨의 이야기가 궁금했다. 오늘은 내 이야기보다 당신의 이야기를 듣는데 집중해야지 다짐한다. 지금부터 쓰는 문장은 오늘 내가 알게 된 당신에 대한 이야기다.

창식씨가 좋아하는 음악은 샹송이다. 이건 어느 정도 알고 있었다. 어렸을 때부터 집에는 음악이 끊이지 않았다. 항상 음악과 함께였다. 하지만 내게 들리는 가사는 당시 내가 전혀 알지 못하는 말이었다. 물론 그건 지금도 마찬가지다. 그럼에도 나는 거실에 앉아 가족들과 샹송, 클래식, 가곡 등을 듣는 시간을 좋아했다. 괜히 근사해지는 느낌이었다. 그 시간이 아마 내가 지금 음악을 사랑하게 된 이유 중 가장 큰 부분을 차지하는 건 아닐까 생각해 본다. 창식씨는 사람을 볼 때는 인성, 배려, 매력을 중시한다. 하지만 50년 가까운 양여사와의 결혼 생활을 통해 자신은 사람을 볼 줄 모른다는 것을 인정했다. 나는 어떤 상황에서도 유머를 잃지 않는 창식씨가 좋다. 창식씨 인생의 좌우명은 성실이라고 말한다. 우리 집 가훈이 성실이어서 어느 정도 예상은 했다. 하지만 이어진 직업에 대한 이야기는 전혀 예상하지 못했다.

창식씨는 살면서 다양한 직업을 가졌다. 해농실업 유통업을 시작으로 당구장, 빵집, 나이트클럽, 바나나 농장, 부동산, 양조장, 민속 주점까지 당장 생각나는 것만해도 이만큼이다. 큰누나가 창원에서 임상병리사로 삶을 꾸려나가다가 돌연 호주로 가서 도로 디자이너가 된 것은 어쩌면 자연스러운 과정일지도 모르겠다는 생각을 한다. 나만 직업이 하나라고 푸념을 하자, 당신은 그게 그렇게 부럽다고 말한다. 새로운 일을 시작할 때마다 배우기 위해 들였던 노력과 시간은 정말 값지지만 그때 받았던 고단함과 스트레스는 오롯이 몸에 쌓였다고 말한다. 그저 지금처럼 아들이 하나의 직업에 집중해서 전문가적인 모습을 가졌으면 좋겠다고 바란다. 관심 있는 분야는 취미로 즐겼으면 좋겠다고 조언하신다. 내가 창식씨의 조언을 따를지는 나도 아직 잘 모르겠다.

창식씨는 요즘 단톡방에서 보내주는 친구들의 글귀와 영상을 보면서 스트레스를 해소한다고 한다. 가장 친한 친구가 누구냐는 물음에 그 기준을 물어보신다. 인생을 통틀어서 가장 친한 친구가 누구냐는 물음에 '강윤재'라고 답한다. 초등학교 동창인데 부산으로 전학을 갔다고 한다. 나는 순간 어제 통화했던 내 친구 태규가 생각났다. 윤재와는 전학 가고 나서도 50대 후반까지 자주 연락하고 한 번씩 보면서 감사한 인연을 이어갔다고 한다. (지금 나와 태규의 관계와 거의 흡사하다.) 하지만 50대 후반에 부동산과 프랜차이즈 사업을 본격화하기 시작하면서 바쁘다는 핑계로 연락을 소홀히 했다고 한다. 어느 순간 정신을 차려보니 생사조차 확인이 안된다고 한다. 그럼 지금 현재 가장 친한 친구가 누구냐고 물으니 없다고 한다. 단톡방의 친구들이 스트레스를 해소해 주지만 진짜 친구라고 부를 만한 친구는 없다고 한다. 꽤 단호하게 말한다. 그러면서 지금 가장 소중한 존재는 가족이라고 자신 있게 말한다. 가족들이 건강하기만 하면 아무 걱정이 없다고 지금 화목한 우리 가족이 너무 좋다고 한다. 그럼 아들이 결혼 조금 더 늦게 해도 괜찮겠냐는 질문에는 '너는 항상 이렇게 사람 기운을 쭉 빼냐?'고 답한다. 그러면서 아들과 결혼하게 될 사람도 우리 가족이니 언제든 누구든 환영한다고 말한다.

창식씨의 노래방 18번은 현철의 '고장난 벽시계'다. 예전에 노래방에 가면 가곡을 많이 부른 것 같았는데 의외다. 왜 그 노래를 좋아하냐고 물으니 가사가 좋다고 한다. 돌아오는 차 안에서 '고장난 벽시계'를 함께 들었다. 당신은 '고장 난 벽시계는 멈추었는데 저 세월은 고장도 없네.'라는 가사를 맛깔나게 따라 부른다. 그러면서 현철이 참 노래를 잘했다고 한다. 하지만 당연하게도 현철의 시계는 고장 나지 않았고 결국 현철이 먼저 고장 나버렸다고 안타까워한다. 모든 일정을 마치고 홀로 집으로 돌아오는 차 안에서 고장난 벽시계를 한 곡 반복으로 듣는다. 문득 기타를 치면서 불러드리고 싶다는 생각이 스친다. 고프로에게 전화해서 자초지종을 설명하고 코드를 정리해 달라고 부탁했다. 부디 이번 주가 끝나기 전에 영상을 찍어서 보내드려야겠다. 지난주 복잡한 병원에서 하루 종일 혼자 헤맸을 창식씨를 생각하면 마음이 좋지 않다. 그럼에도 언제나 유머를 잃지 않는 당신을 마주하면 참 감사하다. 다행히 수술 날

짜도 잡혔고, 수술 전 1차 검사도 잘 마무리했다. 가능할지 모르겠지만 무리해서라도 수술날에 당신의 보호자로 동행해서 또 많은 이야기를 나누고 싶다.

거울

재수생 시절, 거울 속 나와 우연히 마주했다. 표정은 없었고 굉장히 지쳐 보였다. 살면서 처음 마주한 나의 모습에 꽤 많이 놀랐다. 아니 충격적이었다. 눈빛은 흐렸고 어딘가 우울한 분위기가 감돌았다. 충동적으로 재수학원을 그만두고 고향 집으로 돌아갔다. 아버지는 그런 나에게 아무런 말도 하지 않았다. 그저 한두 달 쉬면서 생각해 보자고, 천천히 마음을 정리해 보라고 말씀하셨다. 그때부터 한 달 정도를 온전히 쉬었다. 읽고 싶은 책을 읽고, 매일 산책을 하고 줄넘기를 했다. 건강한 음식을 챙겨 먹고 일찍 자고 일찍 일어났다. 2005년 4월, 봄이라는 계절을 마음껏 느낄 수 있었다. 확실히 이전과 다른 내가 되어 있었다.

봄이 지나자 여유가 생겼다. 지지 받고 응원받는다는 기분을 느낄 수 있었다. 사실 어릴 때부터 부모님과 누나들은 나에게 과분한 사랑을 줬다. 하지만 내겐 그런 사랑이 너무나 당연했다. 어린 내가 감당하기 힘든 고비가 찾아오자 나는 그것을 어렴풋이 깨닫게 되었다. 그리고 나도 사랑을 나누는 사람이 되고 싶었다.

그때부터 많이 웃었다. 원래도 많이 웃었지만 더 많이 웃게 됐다. 그렇게 20대 초반부터 눈가의 주름은 깊어졌다. 친구들은 매번 놀려댔지만 나는 별로 신경 쓰지 않는다. 도움이 필요하다면 적극적으로 돕고 싶다. 의미 있는 무언가를 선물하고 싶다. 사랑의 감정을 나누고 싶다. 더 아끼고 배려하고 사랑하고 싶다. 그렇게 매일 밤 거울 앞에서 평온한 나와 마주하고 싶다.

용서

'우리'라는 이름의 집단적 명명과 갈라선 두 사람을 향한 폭력은 꽤 잔인하다. 사랑은 융합적인 것이고, '희생해야 한다.'라는 관념에 대한 거부는 어마한 대가를 치르게 한다. 우리는 때로 누군가의 밑에 깔리고 싶지 않아 발버둥 친다. 그게 사랑하는 사람이어도 마찬가지다. 가끔은 가장 가까운 존재의 고통에 쉽게 무감각해지기도 한다. 용서가 필요할까?

17000원 정도는 큰 의미를 가지지 않고 17만원은 되어야 겨우 간질거리는 수준이다. 맛있는 음식을 먹고 의미 있는 대화를 나누는 값은 늘 얄짤없이 치른다. 혼자 지낸 이유는 여유보다 귀찮음이 컸다. 나를 제외한 다른 건 고려하지 않고 모른 체했다. 우선 나 자신과의 화해가 시급했다. 용서가 필요했다.

아버지는 말씀하셨다. '앞으로' 잘하면 된다고. 내 앞에 펼쳐진 무수히 많은 '앞으로'가 두렵다. 자주 헷갈린다. 감정의 흐트러짐을 보이지 않는 것은 어른답고 성숙한 모습일까? 감정에 의지하는 나는 책임감 없는 아이의 모습일까? 순간의 감정이 무언가를 지불해야 하는 통과의례라면 일시불로 결제하고 싶다. 한 번에 하나씩 차분하게 씻어내고 깨끗해진 손을 내밀고 싶다. 맑은 손으로 시간과 공간의 제약을 사라지게 하는 것들을 수집하고 싶다. 치러야 할 일들을 모두 치르고 난 뒤, 온전한 안도감에 빠지고 싶나. 용서가 필요하다.

소리로부터

하루 종일 소란스럽다. 병원에 머문지 그리 오래되지 않았지만 외부의 소리는 끊이지 않는다. 분주하다. 쇠가 부딪히는 소리, 발자국 소리, 냉장고를 여닫는 소리, 침대 삐거덕거리는 소리, 물건 떨어지는 소리, 문이 열리고 닫히는 소리, 트림 소리, 방귀 소리, 기침 소리, 스피커폰으로 통화하는 소리, 휴게실 TV 소리. 소리의 종류를 하나하나 인지하며 '나는 언제부터 소리에 민감했던가.' 조용히 떠올려 본다. 꽤 오래 혼자 지내면서 소리로부터 멀어진 것을 깨닫는다. 멀어진 만큼 민감해진 걸까, 둔감해진 걸까. 소리는 점점 가까워지고 병실의 공기는 점점 빽빽해진다. 끈적끈적하다.

6층 병동은 크게 두 종류의 사람들로 나눌 수 있다. 수술을 앞두고 있는 사람과 수술을 끝낸 사람. 그들의 말은 걱정과 짜증으로 뒤섞여 있다. 수술을 앞둔 사람들은 불안과 걱정을 뱉어내고 수술을 끝낸 사람들은 고통과 짜증 섞인 요구들을 뱉어낸다. 말을 하는 사람들은 대부분 노인이고 말을 듣는 사람들도 대부분 노인이다. 병원에는 나이 든 환자와 나이 든 보호자와 나이 든 간병인이 부지런히 말을 주고받으며 나이를 더하고 있다. 나는 아무 말도 하지 않고 아무 소리도 내지 않는다.

수술 전 젊은 의사는 속사포 랩 수준으로 빠른 설명을 시작한다. 말도 안 되는 속도는 그의 고단함을 어렴풋이 짐작하게 한다. 친절하게 그리고 가능한 빠르게. 순간 고등학교 1학년 때 영어 선생님이 강조한 문장이 떠오른다. 'as quickly as possible'. 젊은 의사가 설명하는 최악의 가능성은 그 속도가 너무나 빨라서 현실에서는 절대 일어나지 않을 일 같다. 보호자 서명을 마치고 병실로 돌아와 나는 다시 침묵한다. 병실의 공기는 여전히 빽빽하고 끈적끈적하다. 괜히 덤덤한 척을 해본다. 멀쩡한 척을 해본다. 좁은 침대에 누워 천정을 바라본다. 가만히 눈을 감는다. 새벽 4시, 비로소 소리로부터 자유로워진다. 잠은 모두 달아났지만 정신은 맑다.

가훈은 성실

•

나는 꽤 성실한 사람이다

성실의 이유는 집안 가까이에서 쉽게 찾을 수 있다

가훈은 성실

초등학교 3학년 때 가훈을 알아오는 숙제가 있었다. 아버지에게 물어보니 우리 집 가훈은 성실이라고 했다. 거실 벽면 가운데 버젓이 자리 잡고 있던 액자 속에는 성실이라는 두 글자가 반듯하게 적혀 있었다. 처음으로 인지한 우리 집의 가훈은 친구 집의 사정처럼 생소했다. 아버지에게 성실의 의미와 성실을 가훈으로 정한 이유에 대해 듣게 되었다. 이후 나는 성실이라는 단어와 꽤 친해졌다. 그때부터였을까? 나는 지금까지 이상하리만치 가훈처럼 성실하게 살고 있다.

나는 꽤 성실한 사람이다. 성실의 이유는 집안 가까이에서 쉽게 찾을 수 있다. 우선 설거지를 쌓아두지 않는다. 먹고 마시고 난 뒤에 그릇과 컵을 바로 정리한다. 싱크대는 항상 비어있다. 물론 먹고 마시는 양과 횟수가 남들에 비해 월등히 적은 건 사실이지만. 그 밖의 집안일도 미루지 않고 성실하게 처리한다.(집안일의 경우 할 이야기가 많기 때문에 다음에 각 잡고 쓸 예정이다.) 직장에서도 일을 미루지 않는다. 맡은 바 업무를 훌륭하게 해낸다고는 자신할 수 없지만 적어도 미리 준비하고 부지런히 해낸다. 그래서 아직까지는 같이 일하고 싶은 사람 쪽에 남아 있다.(이것 역시 내 느낌일 뿐이지만.) 그렇게 집과 직장에서 나는 꽤 정성스러운 사람이 된다.

오늘의 내가 지금까지의 나를 성실하다고 평가한다는 것은 상당 부분 미화되었을지도 모르겠다. 지난날의 게으른 일상도 돌아보면 흐뭇해지기 마련이니까. 마찬가지로 지금의 나를 미래의 내가 제대로 알 수는 없을 거다. 그렇지만 적어도 나는 꽤 성실하게 꽤 정성스럽게 오늘을 살아내고 있다고 자신한다. 일련의 과정을 매일 글로 쓰고 음악으로 기록한다. 성실의 증거는 차곡차곡 쌓인다. 나는 오늘도 가훈처럼 성실하게 살아내고 정성스럽게 사랑한다. 이 모든 것들은 보다 성실하게 미화되어 아름답게 기록될 예정이다. 나는 꽤 성실한 사람이다.

5일장

나는 시골 출신이다. 작은 도시인 밀양의 더 작은 동네인 무안리에서 나고 자랐다. 특별한 놀거리도 없던 시골을 누비며 그 누구보다 열정적으로 유년 시절을 보냈다. 특히 2일과 7일은 그 열기가 조금 더 뜨거웠다. 동네 5일장이 서는 날이다. 주말에 5일장이 서면 그날은 곧 축제였다.

아침 일찍 가족들의 손을 잡고 시장으로 향한다. 그곳은 항상 신기한 것들로 가득했다. 양백당 약국 입구에는 각종 생선들이 펼쳐져 있었다. 나무 상자에 담긴 생선들은 눈을 부릅뜨고 강한 비린내를 풍기며 여기부터가 시장이라는 걸 어김없이 상기시켜주었다. 포장도 되지 않은 흙바닥을 따라 조금 걸어가면 고소한 참기름 냄새가 나는 방앗간이 나왔다. 방앗간 앞 공터에는 강아지, 병아리, 닭 등이 작은 철창에 갇혀 새주인을 기다리고 있었다. 또래 꼬마들은 그 주위를 둘러싸고 있었지만 그때나 지금이나 동물은 나의 관심 밖이었다. 관심은 오로지 물건을 사고파는 사람들로 향했다. 시장 중앙에서는 옷과 신발, 생필품 등을 팔았다. 대호 목욕탕 쪽으로 가면 각종 음식들이 즐비했다. 달고나와 붕어빵 같은 간식부터, 떡과 과일, 파전과 잔치국수, 막걸리와 수육 등을 파는 포장마차 느낌의 야외 식당이 즐비했다. 없는 게 없었다. 커다란 곡물 증폭기가 빙글빙글 돌아가다가 '뻥이요' 하는 소리와 함께 튀겨진 곡물들을 와르르 쏟아냈다. 5일장은 내게 별천지였다.

해가 질 때쯤 5일장은 파했다. 그때부터가 본격적으로 우리의 시간이었다. 어두워진 시장 공터는 놀이터로 바뀌었다. 전봇대 하나만 있으면 시간 가는 줄 모르고 놀 수 있었다. 이쪽에서 저쪽으로 죽어라 뛰어다녔다. 리어카 두 대에 팀을 나누어 리어카 싸움을 하기도 했다. 리어카 위에 의자를 올려두고 상대편 의자를 장대로 쓰러트렸다. 해가 완전히 저물면 공터 끝과 연결되어 있는 둑으로 향했다. 어두운 둑에서 가로등 불빛 하나에 의지해 위에서 아래로 마른 썰매를 탔다. 괜히 피끼를 뜯어 껌처럼 질겅질겅 씹기도 했다. 입안에 퍼지는 달착지근한 향은 그 시절을 괜히 더 달콤하게 떠올리게 한다.

아무 걱정도 없던 시절, 지금처럼 놀거리는 많지 않았지만 전혀 심심하지 않았던 시간들. 시간은 빠르게 흘렀고 내게 5일장

나들이는 텔레비전과 mp3 플레이어, pc방과 영화관으로 대체되었다. 범람하는 콘텐츠 속에 둘러싸인 요즘, 무엇에 집중해야 할지 몰라 넷플릭스 리스트만 몇십 분째 구경하다 꺼버리는 현실은 오늘도 나를 꾸짖는다. 단순해지고 싶다. 단순해지고 싶다. 너무 많은 생각을 끌어안고 사는 나는 쉼이 필요하다. 단순해지고 싶다. 단순해지고 싶다. 쉼이 필요하다.

설악산 1

얼마 전 '가장 기억에 남는 여행은 언제였어요?'라는 나의 질문에 아버지는 큰 고민 없이 '설악산'이라고 답하셨다. '젊은 시절부터 국내외로 여행을 많이 다니셨는데 왜 설악산이 가장 기억에 남아요?'라고 물으니 '그냥 그때 가족들과 함께 보낸 4박 5일이 잊히지 않는다.'고 말씀하신다. 그렇게 여행 이야기를 이어가는 당신의 목소리는 어느새 물기를 가득 머금고 있다.

1994년, 초등학교 2학년 여름방학을 맞아 우리는 동해안 7번 국도를 타고 강원도로 가족여행을 떠났다. 출발부터 난리였다. 당시 멀미가 심했던 나는 밀양을 벗어나지도 못하고 얼음골에서부터 토를 하기 시작했다. 토는 토를 불렀다. 멀쩡하던 작은 누나까지 토를 이어갔다. 그렇게 차에 가득 찬 토 냄새는 울산을 지나 포항에 다다라서야 서서히 존재감을 잃어갔다. 아마 코가 마비된 걸지도 모르겠다. 한바탕 소동이 잠잠해지기가 무섭게 다시 나의 울음소리가 차 안을 가득 채웠다. 이가 미친 듯이 아팠다. 나는 턱을 부여잡고 닭똥 같은 눈물을 흘리며 생쇼를 시작했다. 당신은 아픈 치아에 치약을 살짝 발라주며 급한 불을 껐다. 신기하게도 금세 괜찮아졌다. 나는 편식도 심했다. 당시 나는 초딩이었기에 당연히 초딩 입맛이었고 해산물은 내가 먹을 수 없는 음식이었다. (지금은 없어서 못 먹는다.) 아무것도 못 먹는 나를 위해 양여사는 들르는 식당마다 주방 이모에게 계란 프라이를 부탁했다. 어린 나는 빌런이었다.

그 시절 여행은 낭만이 가득했다. 당시에는 내비게이션이 없었기 때문에 지도를 보고 목적지를 찾아가야 했다. 누나들은 열심히 전국 지도를 펼쳐서 우리의 위치를 확인했다. 중간중간 식당이나 휴게소에 들르면 사람들에게 방향을 묻기도 했다. 지금보다 훨씬 더 번거롭고 느리게 목적지에 도착했지만 그 모든 과정 자체가 즐거운 놀이처럼 느껴졌다.

학창 시절 아버지는 종종 삼남매에게 도전 과제를 내주셨다. 좋은 글귀를 인쇄해서 냉장고에 붙여놓고 가장 먼저 외운 사람에게 선물을 사주시는 식이었다. 상품은 CD플레이어, 이어폰, 전자사전, mp3 등 보통 우리가 혹할만한 것들이었다. 설악산 여행에서도 과제를 내주셨는데 그건 노래 가사 외우기였다.

노래는 임주리의 '가버린 사랑'이었다.

백년해로 맺은 언약 마음 속에 새겼거늘
무정할사 그대로다 나 예두고 어데 갔나
그대 이왕 가려거든 정마저 가져 가야지
정은 두고 몸만 가니 남은 이 몸 어이하리

당시 가사의 의미는 잘 몰랐지만 우리는 부지런히 노래를 배우고 외웠다. 여행 기간 동안 가장 먼저 가사를 외운 사람은 작은누나였다. 우승 상품이 뭐였는지는 잘 기억나지 않지만 아직도 가버린 사랑의 멜로디는 또렷이 기억하고 있다. 차 안은 음악으로 가득했다.

설악산 2

설악산 여행에 대해 이야기 나누면서 아버지가 처음 들려준 에피소드는 캠핑장 벌떼 사건이었다. 여행 둘째 날 우리는 내설악 장군바위로 향하고 있었다. 산으로 가는 길 옆 개울가는 워낙 물이 좋았고 여름을 가득 머금은 설악의 풍경은 정말 아름다웠다. 순간 아버지는 차를 세우고 말했다. '근처 캠핑장에서 1박 하고 가자.' 낭만이었다. 우리는 열광했다. 다행히 근처에는 시설도 좋고 심지어 무료인 캠핑장이 있었고 우리는 서둘러 텐트를 치고 준비를 했다. 모든 준비를 마치고 평화롭게 휴가를 즐기기 시작했다.

그때 다시 한번 비명 소리가 울려 퍼졌다. 예상했겠지만 역시나 비명의 주인공은 나였다. 당시 밤밭 근처에서 놀고 있던 나는 수십 마리의 벌떼의 습격을 받게 됐다. 내가 벌집을 건드린 건지 어쩐 건지 정확히 벌떼가 달려든 이유는 잘 기억나지 않는다. 다만 벌떼는 집요하게 나를 쏘았고 당황한 나는 소리를 지르면서 미친 듯이 계곡으로 달려가 그대로 물속으로 뛰어들었다. 한참 뒤 물에서 나온 나는 죽는다고 울고불고 생쇼를 시작했다. 나의 서러움과는 달리 모든 과정을 지켜본 가족들은 미친 듯이 웃었다. 아버지는 어린 내가 울면서 벌떼에 쫓겨 뛰어가는 것이 너무 우스웠다고 그리고 당황해서 물에 뛰어든 아들이 너무 귀여웠다고 말하면서 당시를 흐뭇하게 추억하신다.

다음 날 새벽 일찍부터 아버지는 양여사와 함께 새벽시장에 장을 보러 가셨다. 고모와 고모부의 추천을 받아 매운탕을 끓여 먹기 위해서였다. 동해의 새벽시장에는 싱싱한 해산물이 넘쳐났다. 생태와 한치, 도루묵 등을 한가득 사가지고 콘도로 오셨다. (내가 벌에 쏘여서 전날 캠핑을 접고 병원에 갔다가 콘도로 다시 돌아왔다.) 그리고 아침부터 매운탕을 끓이기 시작했다. 매운탕은 국물이 찐득찐득했다고 한다. 그게 무슨 말이냐 물으니 '그만큼 진국이다.'는 뜻이라고 한다. 동해는 한류와 난류가 만나는 조경 수역으로 황금 어장을 이루고 거기에서 잡힌 해산물의 맛은 아래 지방과는 게임이 안될 정도로 맛있다고 한다. (이건 지극히 아버지 개인의 의견이며 실제로 아버지는 아래 지방에서 평생을 사신 분이다.)

평소 해산물을 별로 즐기지 않는 아버지는 그때 그 매운탕만큼은 너무 맛있어서 실컷 먹었다고 한다. 지금도 해산물 러버인 양여사는 가끔 그때를 회상하며 당신이 태어나서 먹어본 매운탕 중에서 가장 맛있었다고 말한다. 그때마다 아버지는 '매운탕 먹으러 다시 한번 동해를 가야 할텐데.'라고 말한다. 아버지의 바람과는 달리 세월은 야속하게 흘렀고 매운탕은 여전히 30년 전 기억 속에만 머물러 있다. 아버지의 이야기를 들으면서 나는 속으로 다짐한다. 양여사의 무릎 수술이 무사히 끝나고, 당신의 허리 수술이 무사히 끝나는 가을에는 다시 한번 설악산으로 가족 여행을 가겠다고. 새벽시장에서 싱싱한 해산물을 사와 매운탕을 끓이고 도란도란 이야기꽃을 피우자고. 웃음꽃 피우자고.

일요일 오전

어린이날과 어버이날을 맞아 오랜만에 가족들이 모두 모였다. 조카들 어린이날 선물 증정식에 이어 어버이날 용돈 타임을 지나 어버이 은혜를 성악톤으로 부른다. 웃음이 끊이지 않는다. 비도 오고 나가서 외식하는 것보다 이거저거 배달 시켜서 먹기로 한다. 큰누나는 공식 만찬 주, 큰 매형은 새로, 나는 원소주, 작은누나는 몽땅 다. 각자 원하는 주류를 선택하고 청바지를 외친다. 근무 나간 작은 매형이 없어서 아쉽다. 제주도에서 비구름 몰고 다닌 큰누나네 이야기, 양여사의 결혼 잔소리에 내일 절에 가서 결혼하겠다고 약속하는 나, 새로 춤을 만들어왔다는 조카 준영이의 댄스타임. 있는 듯 없는 듯 스마트폰에 집중하는 조카 준혁이와 빨래박사님. 맑눈광과 함께하는 작은누나의 치매센터 이야기가 쉼 없이 이어진다. 오후부터 이어진 가족모임은 배부름을 동반한 졸음으로 마감된다. 밤 10시가 되기 전 조용히 양치를 하고 먼저 눕는다. 오늘도 10시 요정은 먼저 퇴근한다.

다음날 늘어지게 자고 일어나 아침식사를 한다. 큰누나네가 오고 나서 아침 식사 메뉴가 토스트와 과일로 바뀌었다. 근손실을 막기 위해 나도 몇 개 집어먹는다. 밥을 먹고 나서 갑자기 예전에 우리 삼남매가 충동적으로 정동진 기차 여행 간 것이 떠올랐다. 글로 쓰고 싶어서 바로 인터뷰를 진행했다. 역시나 웃음이 끊이지 않는다. 이야기는 자연스레 가족여행으로 이어졌고 양여사 무릎 수술 전에 가족여행을 가자고 해서 독채 숙소를 검색한다. 여러 후보들을 찾아 열심히 보여주지만 '집에서 보는 바깥 풍경이 더 좋다.'는 양여사의 답변만이 돌아올 뿐이다. 과연 이번에는 갈 수 있을까? 누구 하나 총대를 멘다면 그건 바로 내가 되겠지. 더 이상의 의견은 묻지 말고 그냥 예약해버려야겠다. 창원으로 이사 오고 나서 자주 보는 것 같지만 이렇게 다 모여서 일요일 오전을 보내는 건 또 오랜만인 것 같다. 두 달 뒤면 큰 매형도 다시 호주로 돌아가고 11월이면 큰누나도 호주로 돌아가는데 그전에 부지런히 시간을 보내야겠다. 앞으로 우리가 함께 보낼 일요일 오전은 몇 번이나 남았을까?

목욕탕

일요일이면 목욕탕에 갔다. 내 나이 다섯 살, 기억의 출발점에는 목욕탕을 나와 누나들의 손을 잡고 바나나 우유를 마시고 있는 내 모습이 떠오른다. 어릴 적 목욕탕에 대한 기억은 목욕탕 안이 아닌 목욕을 끝내고 나온 목욕탕 밖의 기억이 전부다. 당시 우리 동네 목욕탕의 이름은 대호 목욕탕이었다. 목욕탕 집 아들 이름이 문대호 였던 것으로 기억한다. 일요일은 양여사의 손을 잡고 목욕탕에 가서 때를 밀었다. 목욕을 마치고 나오면 보상처럼 바나나 우유 하나가 손에 쥐어졌다. 바나나 우유를 하나 물고 아껴 마시면서 원더키디를 봤다. 세상을 다 가진 기분이었다.

원더키디 속 2020 우주는 이미 3년 전에 지나가 버렸고 이제는 목욕탕 자체를 가지 않는다. 내게 일요일의 목욕탕이 전부

였던 시절을 떠올리다 보니 낭만은 시간을 먹고 자라는구나 깨닫는다. 예전에 당연했던 일상들을 떠올리다 보면 무수히 많은 장면들이 필름처럼 지나간다. 필름의 조각들을 하나하나 살피다가 유난히 밝게 빛나는 장면들을 마주하게 되고 나는 어느새 차분하게 그 장면들을 추억하게 된다. 덕분에 오늘은 목욕탕에 대한 기억들을 뒤져본다. 내게 일요일은 목욕탕이었던 시절을 떠올려 본다. 고소한 바나나 우유 냄새가 난다.

2015년

변화의 시기였다. 늦은 나이에 군대를 갔던 나는 서른이 되어서야 겨우 제대를 했다. 직업 특성상 다음날부터 바로 출근을 해야했고, 열세 살 어린이들 앞에서 어색한 인사를 하고 바로 수업을 했다. 그 해 6월은 역시나 무더웠고 3년 전 담임을 맡았던 학생들은 무럭무럭 자라서 저마다의 색을 뿜어냈다. 올해로 21세가 된 상민이와 미르는 잘 사는지 모르겠다. 아마 군인일지도 모르겠다.

공놀이를 사랑했다. 매주 수요일 배구를 했고, 월요일과 목요일은 배구 클럽에 가서 부지런히 배웠다. 화요일에는 풋살 용병을 뛰었고, 주말에는 공설운동장에서 주말리그 축구 경기를 뛰었다. 나는 당시 팀에서 막내였다. 그해 여름 손흥민이 토트넘에 입단했고, 나는 토트넘의 모든 경기를 라이브로 챙겨봤다. 가끔 사직 구장에 가서 롯데 유니폼을 입고 부산 갈매기를 외쳤지만 프로야구에는 그다지 관심이 없었다.

낭만적이었다. 당시 여섯 살이었던 마당의 자두나무는 고운 빛을 내는 열매를 선사했다. 가을에는 정원 바닥이 붉게 물든 단풍잎으로 채워졌다. 그저 바라만 봐도 기분이 좋았다. 퇴근 후 양여사의 가게에서 설거지를 했고, 양여사가 구워주는 목살에 와사비를 올려 먹었다. 가끔 양여사와 맥주 한 캔을 나눠 마시기도 하고 비가 오면 1번 테이블에 앉아 파전에 동동주를 마시기도 했다. 새벽 다섯시에 일어나 아버지의 동동주 양조를 도왔다. 술을 담그는 일은 고되었다. 어깨와 팔은 뭉치고 몸은 온통 하얀 가루로 뒤덮였지만 그것마저 아름다웠다. 그때는 모든 면에서 지금보다 어설펐고, 분주했고, 정신없었지만, 낭만이 가득했다. 감히 아름다운 시절이었다고 추억해 본다. 과거로 돌아가는 건 무의미하다 여기지만 그때라면 한 번쯤 돌아가보고 싶다.

자가진단

오늘은 하루 종일 옅게 우울했다. 고향집에 5박 6일간 머물렀다가 다시 나의 공간으로 돌아왔다. 양여사는 차를 타고 가는 아들의 뒷모습을 베란다에 서서 지켜보다가 끝내 울음을 터트렸다. 양여사는 밤새 한숨도 못 잤다고 한다. '부모는 자식이 왔다 가면 짠하다.'라는 카톡을 남기고 낮이 되어서야 마침내 잠에 들었다고 한다. 큰누나도 계속 불면이다. 잠이 오지 않아서 눈만 감고 누워서 한숨도 못 잤다고 한다. 밀양의 모든 잠은 코코가 가져간 것 같다. 고향에 갔다가 돌아온 날에는 항상 기분이 이상했다. 예전에는 이 낯선 감정을 직시하지 못하고 술에 의존했다. 낮에 소주 한 병을 마시고 초저녁에 일찍 잠들었다. 지금은 그렇게 해소하지 않지만 집에서 돌아온 날의 미묘한 감정은 일상의 흐름을 흐트린다. 운동을 하지 않는다. 활자에 집중하는 능력도 현저히 떨어진다. 이내 우울한 감정에 빠져든다. 음식을 조금만 먹어도 속이 더부룩하다. 메슥거리는 느낌이 싫다. 괜히 바람도 더 거세다.

감상은 짧게 한다. 몸을 부지런히 움직여 집안일을 하면 조금 낫다. 상태를 체크하고 어떻게든 나아지기 위해서 집안일을 한다. 3주 뒤면 이사를 한다. 거제에서 지냈던 시간들을 잘 정리하고 싶다. 사실 큰 의미가 있을까 싶지만 그래도 그렇게 하는 편이 더 나을 것 같다. 위험한 상태를 벗어나기 위해 자가 진단을 한다. 삶의 태도를 변화시키기 위해서 노력한다. 사회적 어울림과 버림은 어린아이의 장난 같다. 참 쉽다. 많은 부분이 운이었을지 모른다는 생각이 든다. 많은 것들이 쉽게 사그라든다. 그간의 세월을 손으로 꾹꾹 누르면 분홍색 알약 정도가 남을 것 같다. 습관적으로 몇 개의 항목에 아니오를 체크하고 완료 버튼을 누른다. 그렇게 오늘의 자가 진단은 끝이 난다.

삼남매

•

가끔 그때를 회상하면
어디로든 다시 떠날 수 있을 것만 같다

삼남매

2002년 1월 고등학교 입학을 앞둔 겨울방학, 나는 리니지에 미쳐 있었다. 대낮부터 다음날 아침이 밝아올 때까지 지하 던전 6층에서 버그베어와 켈베로스를 사냥하던 시절이었다. 낮과 밤의 경계가 희미해져가던 어느 날 아침, 누나들이 나를 깨웠다. 급하게 어디를 가야 하니 빨리 옷을 입고 준비하라고 했다. 세수도 하지 않고 옷을 대충 걸쳐 입고 누나들을 따라나섰다. 밀양역으로 가는 버스에서 알게 된 목적지는 대구 우방랜드였다.(지금은 이월드로 이름이 바뀌었다.) 우리는 밀양역에서 기차를 타고 동대구역까지 갔다. 삼남매만 따로 기차를 타고 낯선 곳에 와보는 건 처음이었다. 아마 그 기분에 들떠서였을까? 동대구역 한쪽 벽에 크게 붙어있던 '정동진행 눈꽃열차' 플래카드가 유난히 눈에 띄었다. 큰누나와 작은누나는 순간 눈이 맞았고 행선지는 갑자기 정동진으로 바뀌었다. 기차

노선 시각을 확인했다. 출발 시각까지 여유가 있었고 저녁쯤에는 정동진에 도착할 수 있었다. 그렇게 삼남매의 즉흥 여행은 시작되었다.

2박 3일의 즉흥 여행은 동대구역에서 정동진행 기차를 기다리며 일회용 필름 카메라를 사는 것으로 시작됐다. 지금 생각하면 필름 카메라를 사서 사진으로 남기고자 했던 것은 정말 기특한 아이디어였다. 정동진까지는 6시간이 넘게 걸렸다. 기차 좌석을 돌려서 서로 마주 보고 많은 이야기를 나누었다. 실시간으로 바뀌는 창밖 풍경에 감탄하며 연신 셔터를 눌러댔다. 간식을 먹으면서 허기를 달랬고 피곤함이 느껴지면 잠시 눈을 붙였다. 기차가 출발한 지 세 시간쯤 지났을까, 창밖의 풍경은 온통 새하얀 눈으로 바뀌었다. 그리고 얼마 지나지 않아 우리는 정동진에 도착했다. 정동진역에는 당시 강릉에 살고 있던 숙모와 사촌 형이 마중을 나와 있었다. 출발하면서 미리 숙모에게 연락을 했고 이틀 동안 신세를 지기로 했다.

2박 3일 동안 삼남매는 많은 것을 했다. 정동진 해수욕장을 끝에서 끝까지 돌아 다니면서 차가운 동쪽 끝 바다를 끝도 없이 담았다. 아이스링크에 가서 엉덩이가 터져라 넘어지면서도 웃음이 끊이지 않았다. 해가 지고 강릉대 대학로에 가서 저녁을 먹고 당시 유행하던 세기말 컨셉의 노래방에서 가무를 즐겼다. 즉흥 여행 치고 꽤나 알찬 구성이었다. 모든 장면은 필름 카메

라에 담겼고 20년이 지난 지금도 사진으로 남아 그때를 추억하게 한다. 가끔 그때를 회상하면 어디로든 다시 떠날 수 있을 것만 같다. 하지만 안타깝게도 그 후로 삼남매만 따로 즉흥 여행을 떠난 적은 없다.(물론 가족들과 놀러 간 적은 많다.)

2002년은 삼남매에게 변화의 시기였다. 큰누나는 대학 졸업 후 병원 취직을 앞두고 있었다. 작은누나는 대학 입학을 앞두고 있었고 나는 고등학교 입학을 앞두고 있었다. 2002년 1월은 삼남매 모두에게 충분히 충동적으로 떠날 만한 이유가 있었던 시기가 아니었을까 생각해 본다. 2023년도 삼남매에게 변화의 시기다. 큰누나는 잠시 휴식을 취하기 위해 호주에서 한국으로 왔다. 작은누나는 출산과 육아를 두 번 반복하고 10년 만에 복직했고, 나도 5년 만에 낯선 도시의 새로운 공간으로 이사했다. 2023년 어느 날, 삼남매가 또다시 충동적으로 떠날 날을 기대해 본다.

작은누나

어릴 적 작은누나는 내게 참 먼 존재였다. 물리적으로도 심리적으로도. 항상 잠겨 있던 누나의 방은 내게 미지의 세계였다. 가끔 누나가 방을 잠그지 않고 외출하는 날이면 나는 어김없이 누나의 방을 탐험했다. 나의 탐험은 항상 탄로 났고 누나는 대부분 너그럽게 넘어갔지만 가끔 매운맛을 보여줬다. 나는 누나가 무서웠다.

작은누나는 다방면에 뛰어났다. 그림도 잘 그리고 피아노도 잘 쳤고 글도 잘 썼다. 내가 느끼기에 모두 보통 수준을 뛰어넘었다. 확실히 누나만의 감성이 가득했다. 학창시절에는 늘 반장과 회장을, 대학시절에는 과대표를 도맡았다. 누나가 고등학생이 된 이후부터는 나와도 가끔 놀아주었다. 취직을 하고 나서는 꽤 많은 시간을 함께 보냈다. 맛집투어부터 백화점 쇼핑까지, 심지어 생애 최초 나이트클럽도 누나와 함께 했다. 그 시절 누나가 하는 건 다 멋져보였다. 나는 누나를 동경했다.

나는 그렇게 작은누나의 사랑을 받으며 무럭무럭 자라났다. (부모님과 큰누나도 그에 못지 않은 사랑을 주셨지만, 그건 따로 써보겠다.) 성인이 된 나는 누나의 자랑이 되고 싶었다. 부끄럽지 않은 동생이 되고 싶었고 부단히 노력했다. 그러나 생각과는 다르게 자주 무너졌다. 하지만 그때마다 누나는 '괜찮다고, 충분히 잘하고 있다.'라며 나를 믿어주고 기다려줬다. 나는 누나의 응원 속에서 안정감을 찾았고 꾸준히 성장했다. 작지만 나누는 삶도 살아내고 있다. 최근에 통화를 하다가 누나는 내가 자랑스럽다고 했다. 잘하고 있다고 멋지다고 했다. 감사하다. 자주 보지는 못해도 너무 든든하다. 나는 누나가 참 좋다.

경로이탈

큰딸은 지난 28년 동안 한 번도 양여사를 속 썩인 적이 없었다. 어린 나이에 이름만 말하면 아는 큰 병원에 취직해 임상병리사로 7년간 성실히 일했다. 양여사는 그런 큰 딸이어서 좋은 짝을 만나 결혼해서 잘 살길 바랐다. 동상이몽. 큰딸은 생각이 달랐다. 큰딸은 아직 하고 싶은 일이 많았다. 그녀는 이미 몇 달 전 병원을 퇴사했다. 외국 항공사 승무원을 꿈꾸며 유학을 준비하고 있었다.

사건은 양여사가 큰딸을 버스터미널로 픽업하러 간 날 발생했다. 큰딸은 그날 집으로 돌아오는 차 안에서 퇴사를 고백했다. 경로 이탈. 큰딸은 양여사의 노선에서 경로를 이탈했다. 양여사는 처음에 큰딸의 고백을 제대로 인지하지 못했다. '경로를 찾을 수 없습니다.' 내비게이션 안내음이 울리는 순간, 양여사는 충격에 빠졌다. 양여사는 집으로 오는 길에 진짜 경로 이탈로 맞섰다. 핸들을 좌우로 꺾으며 '니 죽고 내 죽자.'를 시전하며 연신 큰딸을 겁박했다. 큰딸은 등골이 오싹했지만 두 눈을 똑바로 뜨고 지지 않았다. 집에 도착해서도 분에 못이긴 양여사는 큰딸을 차고로 끌고 갔다. 양여사의 큰 꿈을 산산조각 낸 큰딸은 무릎을 꿇고 빗자루로 등짝 스매싱을 감수해야 했다. 양여사는 마지막으로 '잘못했나 안 했나?'라고 물었다. 큰딸은 '잘못하지 않았다.'라고 답했다. 그걸로 끝이었다. 뒤늦게 나온 빨래 박사와 막내아들은 무슨 일인가 의아했지만 양여사의 낯빛을 보고 입을 다물었다.

큰딸의 경로 이탈은 예상을 훨씬 더 벗어났다. 2005년 막내아들이 대학교에 입학하던 해, 큰딸의 새로운 경로는 지구 반대편 호주로 정해졌다. 실망도 걱정도 컸던 양여사는 모든 걸 내려놓고 큰딸을 배웅했다. 시간은 쏜살같이 흘렀다. 2022년 둘째딸의 큰아들이 초등학교 2학년에 다니던 해, 큰딸은 휴식을 위해 한국으로 돌아왔다. 호주에서 도로 디자이너로 인정받으며 7년 동안 일하던 회사를 퇴사하고였다. 경로 이탈은 성공적이었다. 큰딸은 언제든 원할 때 다시 일을 시작할 수 있는 능력자가 되었다. 그리고 지금 그녀 곁엔 조 서방이 남았다. 이건 전적으로 양여사도 동의하는 부분이다.

가족의 사랑을 먹고 무럭무럭 자라난 막내는

덕분에 오늘도

무사히 고요히 편안히

가훈은 성실

발행일 2023년 12월 12일

지은이 선제

인스타그램 @_redsun1866

발행처 인디펍

발행인 민승원

출판등록 2019년 01월 28일 제2019-8호

전자우편 cs@indiepub.kr

대표전화 070-8848-8004

팩스 0303-3444-7982

정가 10,000원

ISBN 979-11-6756466-5 (03810)

별책부록

출간 그 후

크리스마스

어릴 때부터 교회를 다녀서일까, 크리스마스 하면 떠오르는 추억이 많다. 제일 먼저 교회에서 처음으로 밤을 샜던 날이 떠오른다. 그러고 보니 왜 크리스마스에 학생들이 교회나 친구 집에서 밤을 샜던 걸까? 이유는 잘 모르겠다. 사실 나만의 작은 인생 고민들 중에는 나중에 다윤이와 윤아가 크리스마스 때 교회에서 밤새고 아침에 오겠다고 하면 허락해야 할지 말아야 할지 하는 것도 있다.

중학생 때 교회에서 늘 몰려다니며 친하게

지내던 친구들과 또 다른 친구, 선후배들까지 다 같이 교회에 모여 밤새 놀 생각에 들떠 있다가 '새벽송'이라는 걸 처음 나갔다. 밤늦은 시간에 아이들이 집 앞에 찾아가 〈고요한 밤 거룩한 밤〉 같은 노래를 부르면 교회 집사님이나 장로님 부부가 인자한 얼굴로 맞이하며 간식도 나눠주시고 그랬다. 눈이 내려 바닥이 얼었던 크리스마스 이브에 너희들 춥지 않냐며 종이컵에 미리 준비해두셨다가 내어주신 따뜻한 유자차의 달콤한 맛이 아직도 기억이 난다.

그렇게 여러 집을 돌고 다시 교회에 돌아오면 그렇게 게임을 했다. '아이 엠 그라운드'나 '공공칠빵' 같은 놀이들. 정말 많이 열심히도 했다. 게임도 잘하고 웃겨서 인기가 많았던 형들도, 웃기려고 까불면서도 서로 은근히 챙기던 친구들도 생각이 난다. 언젠가 한번은 어떤 형이 당구를 가르쳐주겠다고 해서 밤새도록 당구를 친 적도 있다. 새벽에 집에 와서 자려는데 귓가에 당구공 부딪치는 소리가 내내 환청처럼 들렸다.

25일은 늘 뭔가 썰렁했다. 오전에 예배를 하고 나면 동네에 문 연 가게도 잘 없고, 밤을 꼴딱 새운 아이들은 아침에 예배도 못 오거나 와서도 졸다가 끝나면 바로 집에 가서 잤다. 뭔가 늘 25일은 심심하고 허전했던 기억이다.

스물한 살에 아내를 만나고 나의 긴 설득 끝에 우리는 9월쯤 연애를 시작했다. 이미 책에 실린 이야기지만 조금 더 자세히 적어보자면 이렇다. 그때 우린 딱 오늘부터 1일이라고 정하기에 애매한 부분이 있어서 합의하에 9월 17일부터 사귄 것으로 정했다. 그날부터 사귀면 100일이 바로 크리스마스이기 때문이다. 게다가 12월 25일은 아내의 생일이다. 생일과 100일 그리고 크리스마스. 이제 막 시작한 연인에게는 빅 이벤트라고 할 수 있는 것들이 단 하루에 세 가지나! 엄청난 사건이었다! 꽤 한참 전부터 준비를 시작했다.

우선 꽃이 필요했다. 고민 끝에 종이로 장미 100송이를 접기로 했다. 꽃 100송이는 생각보다 빠르게 접었지만 꽃받침 100개를 또 접은 다음 철사로 연결까지 하는 데는 시간이 정말 너무 오래 걸렸다. 마지막에는 동네 친한 친구의 도움까지 받아 겨우겨우 완성, 꽃집에 맡겨서 바구니로 만들었다.

그리고 그동안 만나면서 데이트 할 때마다 디카로 찍었던 사진들을 인화해 준비하고, 커다란 앨범도 하나 샀다. 밥을 먹고 카페에 가서 같이 앨범에 사진을 끼우며 '100일 앨범'을 만드는 게 계획이었다. 그리고 그때 내가 아르바이트를 하고 있던 카페에서 눈여겨 봐두었던 케이크를 예약해서 챙겼다. 돈을 모아 선물도 사고 식당과 카페도 예약했다. 나름대로 열심히 준비를 했는데 떨렸다. 이렇게 하는 게 맞나, 별로 안 좋아하면 어떡하지 걱정이 되었다.

드디어 그날 만나서 준비한 것들을 하나씩 전해줄 때마다 나는 그녀에게 더 반할 수밖에 없었다. 눈가가 촉촉해지며 진심으로 고마워하는 모습이 참 예뻤다. 그 미소와 그때 함께 만든 앨범(너무 강렬한 사진들이라 지금은 감히 쉽게 펼치지도 못한다)까지 영원히 잊지 못할 크리스마스였다.

작년 그러니까 2023년도 크리스마스 때는 콘서트를 하면서 팬들과 함께 보냈다. 딱 크리스마스에 공연장을 잡기가 쉽지 않은데 그 행운이 왔다. 음원 발매와 콘서트 준비, 그 외에도 여러

모로 유난히 바쁘고 힘든 연말을 보냈었는데 공연장에서 팬들과 얼굴을 마주하고 교감하니 그 모든 게 씻겨 내려가는 듯했다. 콘서트의 콘셉트가 배를 타고 최고의 셋리스트를 찾으러 떠나는 거였는데 그곳에는 너무 큰 위로와 용기가 있었다. 그때 얻은 힘으로 봄 소극장 공연을 다시 힘차게 준비했던 기억이 선명하다. 매년 크리스마스 때마다 공연할 수 있으면 참 좋을 텐데. 캐럴도 직접 만들어서 같이 부르고 그러면 진짜 좋겠다.

글을 조금이라도 더 적어서 연말에 부록으로 넣자는 아이디어를 들었을 때 이 책과 글들을 누가 가장 기다려주고 좋아해줄까 생각해보았다. 너무 고마운 사람들에게 이렇게 오래도록 남겨질 글로 크리스마스 인사를 전해요. 사랑을 담아, 메리 크리스마스!

윤아가
글씨를 읽게 되면

내가 한 가지 생각지 못한 것이 있었다. 다윤이에게 책을 선물하면서도 그 생각을 못했다. 이 책에는 아이들에게 한 번도 말해준 적이 없었던 옛날 이야기가 잔뜩 들어 있다. 엄마아빠의 연애 시절 이야기는 물론 심지어는 산타의 비밀까지. 어쩌면 다윤이에게 다소 충격적일 수 있는 이야기들이 생각보다 많았다. 다윤이가 이 책을 처음부터 끝까지 다 읽으면 어떤 생각을 할까? 내가 왜 이 생각을 못했을까?

책을 받은 다윤이는 한동안 학교 가방에 책

을 넣어서 가지고 다녔다. 집에서 숙제를 하다가도 한 번씩 펼쳐서 읽기도 했다. 저자로서 정말이지 뿌듯한 순간이 아닐 수 없었다. 아빠로서도 멋진 아빠가 된 것 같아서 스스로 자랑스러웠다. 그러던 어느 날 방에서 책을 보던 다윤이가 가족들이 있는 거실로 뛰어나오며 소리쳤다.

"아빠~~~~~~ 엄마 말이 다 맞았네~~~!!!"

그 부분을 읽은 것이다. 연애 시작할 때의 이야기가 자세히 담긴 〈다윤아, 사실은 엄마 말이 맞아〉 편…. 다윤이는 궁금한 것들을 쫑알쫑알 열심히 따지고 물어보았다. 너무 웃기고 귀여워서 한참을 대답해주면서 속으로 아빠 어릴 때 할머니 할아버지랑 있었던 일들, 엄마 병원에서 힘들었던 일들 이런 것들도 다 읽었을까, 어땠을까 생각했다.

그날 이후로도 산타 이야기, 자기 이야기가

나올 때마다 쪼르르 달려와서 아빠~ 하고 자주 물어보곤 했지만 슬픈 내용에 대해서는 이야기를 꺼내지 않았다. 문득 궁금해져서 처음부터 끝까지 다 읽었냐고 물어보았더니 처음에 읽을 때는 앞부분에 밴드 만드는 이야기는 조금 어려워서 넘기고 중간부터 제목이 재밌어 보이는 것들 위주로 읽었다고 한다. 그렇게 재미있는 글들을 몇 번 반복해서 보고 나중에 안 읽은 부분까지 봐서 결국 다 읽었다고 했다. 너무 신기하고 재밌다고 고마운 칭찬도 해주었다.

그러고 한동안은 책 이야기를 서로 안 하다가 어느 날 우연히 다윤이 책상에 내 책이 놓여 있는 걸 보고 무심코 펼쳐보았는데 깜짝 놀라지 않을 수 없었다. 몇몇 글마다 다윤이가 손글씨로 코멘트를 달아놓은 것이었다. 공감도 해주고 응원도 해주는 다윤이의 예쁜 마음이 담긴 메모들이 너무 사랑스럽고 아름다웠다. 혹시 놓친 메모가 있을까 봐 몇 번을 뒤적였다. 만나서 이게 뭐냐고 물으니 "아 그거 봤어?" 하고 수줍게 웃는 천사 같은 다윤이.

아마 책에 담긴 아빠의 옛날 이야기들을 직접 말로 들려주었다면 다윤이가 듣기에는 재미가 없었을 것 같다. 근데 아빠 책이라고 하니까 신기해서 열심히 읽다가 말로 듣는 것보다 훨씬 자세히 아빠의 기억들을 알게 된 게 아닐까. 사실 말로 했으면 하려다 말았을 이야기들도 많았는데 다윤이가 좋게 받아들여 주었기를 바랄 뿐이다.

최근에 6살 윤아도 글씨를 읽기 시작했다. 특별히 다윤이 때처럼 집에서 가르쳐주지도 않았는데 확실히 둘째는 알아서 빨리 배우는 게 있다. 띄엄띄엄 혼자서 글씨를 읽고 있는 모습이 정말 그렇게 귀여울 수가 없다. 그래도 아직 긴 글을 이해하며 읽지는 못해서 아직도 동화책은 엄마아빠가 읽어주고 있는데 가끔씩 어려워 보이는 단어들을 윤아가 먼저 읽을 때마다 내 책이 떠오른다. 만약에 윤아가 내년쯤 글씨를 잘 읽게 되고 이 책에 관심이 생긴다면 언니보다도 어린 나이에 아빠의 진실(?)을 접하게 된다. 이것도 괜찮을까?

걱정처럼 적었지만 사실은 기대가 된다. 윤아도 다윤이 언니처럼 쪼르르 달려와서 "아빠 이게 뭐야, 그때 왜 그랬어?" 하며 물어보면 꼬옥 안아주면서 일일이 완전 자세하게 설명을 해주고 싶다.

책을 내고 나서
한 생각

누가 물어볼 때마다 비슷한 대답을 했다. 나는 정말 책을 쓰게 될 거라는 예상, 아니 그 비슷한 생각도 해본 적이 없었다고. 따져보면 오히려 반대로 '아, 요즘 너무 아무나 에세이 내는 거 아닌가?' 같은 시니컬한 생각을 한 적은 있다. 그리고 내가 바로 그 아무나가 되어서 글을 쓰고 책까지 내게 되었으니 돌이켜봐도 신기하고, 지금도 좀 민망하고 쑥스럽다.

기분 탓인지는 모르겠는데 책을 쓰고 난 뒤로 말하는 속도가 조금 느려진 것 같다. 뇌에 입이 달렸다는 우스갯소리를 할 정도로 빠르게 마구 말하는 편이었는데 확실히 느려진 느낌이 든다. 사실 그냥 나이를 먹어가면서 그렇게 된 것일 수도 있지만 뭔가 책을 쓰는 몇 달간 평소보다 신중하게 어휘를 골라서 쓰는 게 습관처럼 밴 거 같기도 하고, 필터가 하나 생긴 느낌이기도 하다. 결국 글쓰기랑 말하기는 연결이 된다.

비교적 긴 글들을 적다 보면 내가 어디까지 솔직한지를 한 번씩 생각하게 된다. 확실히 말로 할 때보다 더 깊고 솔직한 이야기들을 적게 되지만 한계가 있다. 문제가 될 것 같아서, 내가 초라해 보일까 봐, 너무 잘난 척하는 것 같아서 등등 수많은 조건들을 통과한 이야기만 적게 되는 것이다. 그동안 말로는 다 하지 못한 솔직한 이야기들을 적어보자며 쓰기 시작한 글인데 아이러니하게도 이게 진짜 솔직한 건지 솔직해 보이기 위한 말을 쓰는 건지 헷갈리게 된다.

내가 정말 솔직한 사람인지, 내가 적어낸 책이 정말 솔직한 책인지는 몰라도 확실한 건 모두들 솔직한 무언가에 매력을 느낀다는 것이다. 그리고 어쩌면 그걸 알고 있는 나는 '솔직한 사람이 되고 싶은 사람'일지도 모른다. 감춰야 할 것들은 감추지만 솔직한 매력이 느껴지도록 말과 단어들을 신중하게 고르는 그런 사람…. 이렇게 생각하면 좀 싫다.

말을 할 때도, 글이나 가사를 쓸 때도 솔직하고 싶다. 뭔가를 감추며 가짜로 솔직한 건 싫다. 그렇다면 어떻게든 조금이라도 더 성장해서 뭔가 감추지 않아도 되는 사람이 되는 수밖에 없다. 더 많이 사랑하고, 주변을 배려하고, 해야 할 일들 성실하게 하면서 모든 일에 진심을 다하면 언젠가는 어휘를 고르지 않고 말해도, 고민 끝에 글을 쓰지 않아도 충분히 멋진 사람이 될 수 있지 않을까? 책을 내고 나서 했던 생각이다.

행복이
줄어들지 않도록

쉽지 않은 과정과 결정들을 지나 4인조였던 소란이 3인조가 되었다.

10년 넘게 해온 팀의 멤버 구성이 바뀌는 건 그에 따라 해결해야 할 일 또한 정말 많다는 걸 의미했다. 이미 한참 전에 공연장 대관까지 마쳐둔 여름 콘서트는 그중에서도 가장 해결하기 어려운 문제였다. 사실 나는 콘서트를 취소하려고 했었다. 머리와 마음이 너무 많이 힘들기도 했고 무엇보다 자신이 없었다. 모든 걸 다 설명할 수가 없는데 마음속에 궁금증과 아쉬움을 안고, 그럼에도 응원하는 마음으로 찾아와줄 팬들 앞에 섰을 때 나와 팀이 잘해낼 수 있을까 움츠러들었다.

오랜 시간에 걸쳐 회의를 거듭했지만 멤버들끼리도, 회사 관계자 분들도 계속 의견이 분분했다. 차라리 아주 작은 공연장으로 바꿔서 부담을 내려놓고 하는 건 어떨까, 이참에 그동안 못했던 전국 클럽 투어를 하며 재정비를 해볼까, 역시 아예 취소하는 게 낫지 않을까 등등 이야기와 마음이 돌고 돌았다.

그 끝에 결국 원래 하려고 했던 비교적 큰 규모의 여름 콘서트를 원안대로 진행하기로 결정했다. 의견을 주고받다가 누군가 나에게 이런 말을 했다. 정확한 표현은 기억나지 않지만 '팬들을 생각해서라도 하는 게 옳다. 멤버가 빠져서 무대에 약간의 아쉬움이 있더라도 팬들은 그런 모습도 보고 싶을 수 있고, 함께 이겨내는 과정도 멋질 수 있다.' 하는 내용이었다.

이 말을 듣고 결심이 섰다. '팬들을 위해서 공연을 하는 게 맞다'는 첫 문장 빼고 뒤의 이야기들에 반대하는 마음이 들었기 때문이다. 매년 해온 이 콘서트를 안 하는 것도 팬들에게 아쉬운 결정이고, 멤버 이슈로 무대와 공연이 기존보다 부족해도 팬들에게 아쉬움을 줄 것이라는 생각이 들었다. 팬들이, 공연을 찾아와준 관객들이 우리 사정을 봐줄 필요는 없다. 잘 정비를 하고 준비해서 팬들에게 전보다 더 좋은 공연을 선보이는 것이 우리가 해야 할 일이었다. 그들이 우리와 함께 만들어온 행복이 줄어들지 않고 더 늘어나도록 최선을 다해야겠다고 다짐했다.

다짐한 만큼 최대한의 노력을 쏟아 준비했다. 고맙게도 함께해주는 모든 분들이 더 큰 힘을 모아 도와주었고 멤버들도 최선을 다했다. 팬들도 걱정과 응원을 담아 기다려주었다. 2024년의 여름날은 그렇게 흘렀고 이틀의 콘서트가 우리 앞에 아름답게 펼쳐졌다.

그리고 너무나 깊이 느낄 수 있었다. 눈앞의 이 멋진 사람들도 우리와 함께하는 행복이 줄어들지 않도록 노력하고 있다는 걸. 사랑을 닮은 응원이 믿을 수 없을 만큼 큰 힘이 된다는 걸. 꼭 말해주고 싶다. 고맙다고, 나도 너를 정말 많이 응원한다고.

목소리

우리 팬들이 참 좋아하고 나도 좋아하는 〈To.〉라는 곡에 이런 가사가 있다.

'힘이 들면 두 가지 생각이 들어. 네게 기대어 의지하고 싶다가도 말 못하고 혼자서 이겨내려 해. 가끔은 궁금해, 어떤 게 더 잘하는 걸까.'

힘들 때 혼자서 이겨내려 한다면서도 어떤 게 더 잘하는 건지는 모르겠다는 것. 그게 이 곡을 쓸 때의 솔직한 마음이었다. 평소 가까운 사람들과 있을 때 말도 많고 까불기도 엄청나게 까불지만 내가 정말 힘들 때에는 사람들을 만나지 않거나 굳이 이야기를 꺼내지 않는 편이다. 어쩌다가 내 상황이나 어려운 일에 대해서 힘든 걸 털어놓은 날에는 돌아서서 후회를 한 적도 많았다. 힘든 얘기니까 들어주는 것도 힘들 텐데, 좋지도 않은 이야기 내가 너무 길게 한 건 아닐까 하고.

어느 날 짧은 공연을 마치고 문득 내가 관객분들에게 함성을 너무 많이 요구하고 있다는 자각이 들었다. 안 그래도 우리 공연은 멘트나 춤 가르쳐주는 시간이 길어서, 주어진 시간이 같다면 다른 팀에 비해 곡 수도 적은 편인데 템포가 조금만 빠른 곡이라면 틈 날 때마다 "소리 질러!"를 외친다. 그리고 또 떼창을 너무 좋아해서 화면에 가사를 띄워서라도 다 같이 노래를 부르게 만든다. 끼고 있는 인이어 때문에 객석의 소리가 잘 안 들리면 한쪽 이어폰을 빼서라도 꼭 그 소리를 들어야 행복해지고 자신감도 올라간다. "저희는 여러분이 소리 잘 질러주시면 공연을 훨씬 잘하거든요." 고정 멘트처럼 하는 이 말도 그냥 하는 말이 아니고 진심이다. 공연장이 작든 크든, 야외든 실내든, 어느 지역이든 간에 그곳에 모인 사람들의 소리를 듣는 게 나에게는 가장 중요하다.

그뿐만 아니라 나는 가요계의 나름 소문난 '과소통자'이기도 하다. 온갖 SNS는 물론이고, 양대 포털에 각각 개인 팬카페까지 열어두었다. 거기에서 팬들이 해주는 말들을 보고 듣는 게 너무 좋다. 생방송을 할 때 올라오는 댓글도 마찬가지. 이렇게 나는 소리들을 모으고 있다.

힘들고 어려운 순간은 늘 있었지만 나이를 한 살 한 살 먹어가고 경험도 쌓이면서 그만큼 더 크고 무거운 일들도 겪어야 했다. 어떻게 해야 할지 모르겠고 이러다 정말 다 무너져버리면 어쩌지 할 정도로 힘들 때도 있었다. 사랑하는 사람들에게 설명할 수 없는, 도리어 감추고 싶은 마음들이었다. 언젠가부터 그럴 때마다 목소리가 들리기 시작했다. 사랑하는 가족들의 목소리, 전화로 말해주는 엄마의 목소리, 함께 노래하고 환호해주는 소라너들의 목소리. 그 목소리들이 이젠 털어놔도 괜찮다고 나에게 말해주는 것 같았다.

시간이 지나도 나라는 사람은 여전히 어리숙하고 서툴 테지만, 그 시간동안 함께 걸어갈 사람들이 있으니 괜찮다. 그들의 목소리는 지금도 행복한 표정으로 나를 안아주고 있다.

다시 행복이 어떤 건지 가끔 생각한다. 내가 사랑하고 나를 사랑하는 사람들을 믿는 거, 사랑하는 사람들과 응원의 목소리를 주고받는 거.